图书在版编目（CIP）数据

我爱我的爷爷／（奥）哈兰斯（Wolf Harranth, W.）著；（奥）迪莫（Dimow, C, O.）绘；赖雅静译．
—石家庄：河北教育出版社，2009.1
（启发精选世界优秀畅销绘本）
书名原文：Mein Opa ist alt, und ich hab ihn sehr lieb（德文）
ISBN 978-7-5434-7080-4
Ⅰ. 我… Ⅱ.①哈…②迪…③赖… Ⅲ.图画故事－奥地利－现代 Ⅳ.I521.85

中国版本图书馆CIP数据核字（2008）第173011号

冀图登字:03-2008-010

Mein Opa ist alt, und ich hab ihn sehr lieb

我爱我的爷爷

编辑顾问：余治莹
译文顾问：王 林
责任编辑：颜 达 姜 红
策划：北京启发文化传播有限责任公司
　　　台湾麦克股份有限公司
出版：河北教育出版社 http://www.hbep.com
　　　（石家庄市联盟路705号 050061）
发行：北京启发文化传播有限责任公司
　　　http://www.7jia8.com

销售专线：010-51690768
印刷：北京盛通印刷股份有限公司
开本：889×1194mm 1/16
印张：2
印数：1～5,000册
版次：2009年1月第1版
印次：2009年1月第1次印刷
书号：ISBN 978-7-5434-7080-4
定价：29.80元

如有印装质量问题请与印刷厂联系(010-67887676)

我 爱 我 的 爷 爷

文：〔奥〕沃尔夫·哈兰斯

图：〔奥〕克里斯蒂娜·奥珀曼·迪莫

翻译：赖雅静

河北教育出版社

奶奶去世了，爷爷一个人住在乡下。
爸爸妈妈请爷爷来城里，和我们一起住。
今天，我们全家都来火车站接爷爷。
爷爷来了，他带了一个大大的行李箱，
还有一把模样老旧的伞。

到家后，爷爷坐到了爸爸的位子上，
可是爸爸并没有生气。
好多我们不能做的事，爷爷做都没关系。
吃饭的时候他可以大声嚼东西，
嘴里塞得满满的，还一边说话也没关系。

爷爷用一只手就能擤鼻涕，而且不用卫生纸！
我看得清清楚楚。
还自己试了试，却怎么也做不到。

睡觉前，爷爷会把他的假牙泡在玻璃杯里。
爷爷很老了，可是我很爱他。
爷爷身上的味道很好闻。

每天，天刚刚亮，爷爷就起床了。

他在房间里走来走去。

我们也睡不着了，因为地板被他踩得咯吱咯吱响，

白天的时候，爷爷话很少。

他常常站在窗边，呆呆地看着外面的街道。

有时候，妹妹卡佳会怕爷爷。

她还太小，什么都不懂。

我已经长大了，我不怕爷爷，只是有点不明白——

爷爷为什么那么沉默？

妈妈说，那是因为奶奶去世了，爷爷很伤心。

可就算是这样，爷爷也不用整天待在家里难过呀。

我想，是因为爷爷在城里住不惯。

爷爷不知道，打哈欠的时候要用手挡住嘴巴。
可是，水龙头漏水了他会修理，
这样，妈妈就不用找工人了。

看电视会让爷爷的眼睛疼。
在乡下，他没有电视机。
他也不看书，偶尔会看看报纸。

可是，爷爷爱看我的故事书。
晚上，他会戴上眼镜，念故事给我听。
他用食指指着字，一行一行地念，
念得很慢很慢。

昨天，爷爷和我们到公园散步。

他一边喂鸽子一边说："玫瑰花丛该修剪修剪了。"

妈妈说："不用操心，园丁会做的。"

今天早上，爷爷悄悄地溜出去了，

我上厕所的时候刚好看到他回来。

我悄悄地问："您是不是去修剪玫瑰了？"

爷爷笑了，把食指轻轻放在嘴唇上，要我别说出去。

我第一次看到爷爷笑了。

爷爷，我会保守秘密的，绝对不会说出去。

有时候，我会陪爷爷去买东西。

他不坐电梯，而是一级一级地爬楼梯。

过马路的时候，爷爷总是握住我的手。
我也紧紧地抓着他的手，免得爷爷心里害怕。

爷爷对超市不熟悉。
他说，在村子里，他都去王太太的小店买东西。

我的玩具消防车掉了个轮子。

爷爷的手指头很粗，轮子上的螺丝钉很小。

爷爷用很粗的手指装上轮子，把很小的螺丝钉拧回去。

爸爸的手可没这么巧。

爷爷饭吃得很少，话也比以前还要少。
他也不想去公园散步了。
妈妈看看爸爸，爸爸看看妈妈。
为什么他们都不说话？

有一天，爷爷的行李箱又摆在桌子旁边了。
行李箱上面放着那把模样老旧的伞。
吃早餐的时候，爸爸说："再多住几天吧！"
爷爷只是摇摇头。

爷爷送给我一套农庄模型，
送给卡佳一个大娃娃，但是卡佳不喜欢。
在厨房里，妈妈跟爷爷说：
"这钱我们不能要，您快收起来吧……"

在火车站里，大家都不知道说些什么好。
火车开动了，我忍不住哭了起来。
爷爷，我希望您很快再来，我很爱您！

卡佳把娃娃的头发剪掉了，
虽然被爸爸骂了一顿，但她还是喜欢娃娃这个样子。

爸爸又坐回自己的位子上了。

妈妈在厨房抽屉里看到了爷爷留下的钱。

我把农庄模型摆出来玩儿。

在乡下有真的马。

我问妈妈："什么时候我们可以去看望爷爷呢？"